Traducido por Edelvives

Título original: *Groot en klein op de boerderij*
Publicado por primera vez en Bélgica y los Países Bajos
por Editorial Clavis, Hasselt-Ámsterdam-Nueva York, 2014

© Editorial Clavis, Ámsterdam-Hasselt-Nueva York, 2014

© De esta edición: Grupo Editorial Luis Vives, 2016

ISBN: 978-84-140-0193-6

Depósito legal: Z 1469-2015

Impreso en China

GRANDE O PEQUEÑO EN LA GRANJA

Liesbet Slegers

EDELVIVES

POR FIN ES DE DÍA,
Y UN LINDO CONEJO
SALTA EN LA PRADERA...

AHORA ES DE NOCHE.
DUERME EL CONEJITO
EN SU MADRIGUERA.

¡YA LLEGAN LOS CERDOS!
PARECEN TAN LIMPIOS
QUE ESTÁN RELUCIENTES.

¡PERO NO ESTÁ SOLO!
AHORA NACEN MUCHOS
Y CANTAN «PÍO, PÍO».

DESDE LOS ARBUSTOS,
UN RATÓN PEQUEÑO
BUSCA A OTRO ANIMAL.

¡SU AMIGO, EL CABALLO!
ES GRANDE Y ES FUERTE,
Y LO INVITA A JUGAR.

¡QUÉ BIEN SE COMPORTAN
EL PERRO Y EL GATO!
LA GRANJA ESTÁ EN PAZ.

PERO ¿QUÉ SUCEDE?
¿POR QUÉ DE REPENTE
SE PORTAN TAN MAL?

LA VACA Y LA CABRA
JUEGAN EN EL CAMPO
MIENTRAS BRILLA EL SOL.

PERO LLEGA LA **LLUVIA**,
SALE EL ARCO IRIS...
¡Y SE MOJAN LAS DOS!